EL DUENDE VERDE

© Del texto: Emilio Calderón, 1999
© De las ilustraciones: Francisco Solé, 1999
© De esta edición: Grupo Anaya, S. A., 1999
Juan Ignacio Luca de Tena, 15. 28027 Madrid

1.ª edición, marzo 1999

Diseño: Taller Universo

ISBN: 84-207-9078-8
Depósito legal: M. 5.368/1999

Impreso en JOSMAR, S. A.
Artesanía, 17
Polígono Industrial de Coslada
28820 Coslada (Madrid)
Impreso en España - Printed in Spain

EL DUENDE VERDE

Emilio Calderón

EL FANTASMA
DE CERA

Ilustración: Francisco Solé

Siempre he creído que un cuento es una gran casa habitada por palabras. De ellas depende que la casa sea bonita o fea, alegre o triste.

La casa de este cuento, sin embargo, además de palabras y de llamarse Villa Trieste, tiene dos inquilinos muy especiales: un fantasma de cera y un chico llamado Tristán Triste.

Es ésta, pues, la historia de Tristán Triste de Villa Trieste y de todo lo que le pasó por vivir en compañía de un fantasma. ¡Ah, me olvidaba! También hay una chica llamada Alicia... En fin, ya veis que lo único que estoy consiguiendo con tantas explicaciones es enredar la historia. Lo bueno de los cuentos es que hay que leerlos de principio a fin, sin hacer preguntas o pedir explicaciones... hasta el final. La razón es muy sencilla: los cuentos, como las casas, se construyen poco a poco y con un orden. Ninguna casa se empieza a levantar por el tejado, de la misma manera que ningún

cuento puede empezarse por el
final. Quien esto haga, lo único
que conseguirá será que la palabra
«fin» caiga sobre su cabeza. Por
eso, lo mejor es abrir la puerta
de este cuento y visitar sus
habitaciones, paso a paso. Que
no os dé miedo el fantasma ni
el chirrido de las puertas de
la Villa Triestre. Tal vez luego
penséis que ha merecido la pena
la visita a este cuento. Ahora
sólo os pido un poco de paciencia.

EmilioCalderón

1

ALICIA CONOCE
A TRISTÁN TRISTE

LO que más me gustó de mi nueva casa fue la de enfrente: un viejo caserón de madera rodeado por una tapia por la que asomaban las copas de un sinfín de árboles: olmos, tejos y algún que otro sauce.

Tanto el viejo caserón como la tapia, así como las copas de los árboles presentaban un aspecto de total abandono, por lo que supuse que o bien la casa estaba deshabitada o bien la habitaba un fantasma. Naturalmente, prefería esta última posibilidad, puesto que siempre había deseado vivir cerca de una casa encantada, así que pasé el resto de la tarde observando aquella vivienda desde mi ventana. Y si no me quedé toda la noche en vela vigilando, fue porque mi madre se encargó de recordarme que estábamos en plena mudanza y que aún nos quedaba mucho trabajo por hacer.

—Alicia, regresa del país de las maravillas. ¿Acaso te has convertido en estatua, señorita? ¿A qué esperas para deshacer la maleta y ordenar tu cuarto? —me dijo.

—Ya voy —respondí volviendo a la realidad.

Esa noche, como la cocina de nuestra nueva casa aún no estaba terminada, salimos a cenar y a conocer el pueblo donde íbamos a vivir desde ese día.

—Un viejo pueblo para una nueva vida —apuntó mi madre nada más salir a la calle.

Al pasar frente a la casa que yo había estado observando desde mi ventana, mi padre se apresuró a decir:

—Esta casa debería estar en las afueras del pueblo. Su jardín es casi tan grande como un parque, pero da tanto miedo como un cementerio. Parece una mansión abandonada.

Y era cierto. Vista desde la calle, el aspecto de la casa era lúgubre, casi terrorífico. Pese a que había luna llena, ésta no se reflejaba en la casa, cuyas ventanas parecían ojos vacíos. Además, las traviesas de madera estaban peor de lo que me había parecido desde mi ventana. Era como si el sol las hubiera desollado.

Al día siguiente, los compañeros y compañeras de mi nuevo colegio me dieron la bienvenida; todos salvo uno, un chico que pasó junto a mí con aire indiferente y que ni siquiera se dignó saludarme. Y como la expresión de mi rostro reflejó la sorpresa que este hecho me produjo, una de mis nuevas compañeras de clase me advirtió:

—Se llama Tristán Triste, también conocido como «el hijo del fantasma». Es una persona huraña y brusca. No esperes que se dirija a ti. Y mejor que sea así.

Era Tristán un muchacho de mirada esquiva, cabello rubio y piel blanquísima. Caminaba como con vergüenza, casi de puntillas, sin hacer ruido, y a su paso todo el mundo se apartaba.

—¿Por qué le llamáis «el hijo del fantasma»? Es un apodo cruel —dije.

—Porque vive con el fantasma de su padre. Su padre trabajaba en el Museo de Cera de la capital. Era tan buen escultor que, al enfermar gravemente, su esposa le pidió que esculpiera una figura de cera de sí mismo, como recuerdo. Cuando años más tarde murió la madre de Tristán, quedando éste definitivamente huérfano y solo en el mundo, pues tampoco tenía tíos o abuelos, el fantasma de su padre volvió para hacerse cargo de él. La gente del pueblo dice que el fantasma utiliza la figura de cera para hacer las tareas de la casa, pues no existe hombre o mujer en su sano juicio que se atreva a cruzar el portalón de Villa Trieste.

Villa Trieste, así se llamaba la casa que había llamado mi atención la tarde anterior, lo que hizo que mi interés por su propietario aumentara aún más.

Jamás había oído una historia más triste que la de Tristán Triste, de modo que, cuando terminaron las clases, seguí sus pasos hasta Villa Trieste. Creedme si os digo que Tristán caminaba de la mano de la desdicha y que hasta su sombra era más sombría que la mismísima tristeza.

Antes de que Tristán cruzara el umbral de Villa Trieste, me acerqué y le dije:

—Así que, además de compañeros de clase, somos también vecinos. Vivo en la casa de enfrente. Me llamo Alicia y soy nueva en el pueblo. Encantada de conocerte.

Y le tendí la mano para que me la estrechara.

Tristán me miró con ojos tristones, inclinó el cuerpo hacia delante, como si le pesaran demasiado las penas en el corazón, volvió el rostro hacia la casa y desapareció dejándome allí plantada, con la mano y la boca abiertas.

«Triste Tristán Triste de Villa Trieste», pensé haciendo un trabalenguas.

Siempre sufro por el mal ajeno, de modo que Tristán acabó contagiándome su tristura, hasta el punto de que por un momento creí llamarme Tristana en vez de Alicia, pues la congoja se apoderó de todo mi ser. «¡Tristana la Triste, vecina de Tristán Triste de Villa Trieste!», seguí con los trabalenguas mientras subía la escalera que conducía hasta nuestro piso.

Me di cuenta entonces de que ni yo misma sabía qué era la tristeza, pues nadie que estuviera verdaderamente triste hacía trabalenguas o bromeaba con su estado de ánimo. ¿Acaso Tristán se reía de su tristeza? No. La tristeza era como llevar la boca cosida con imperdibles. Decidí recurrir a mi madre:

—Mamá, ¿qué es la tristeza? —le pregunté.

—Una señora muy fea, una mala compañera, una pérdida de tiempo. La tristeza es lo que no hay en nuestra casa, pues procuramos no invitarla jamás. La tristeza es la madre de las penas, y si entra en una casa, lo primero que hace es robar la alegría —me respondió.

Inmediatamente comencé a rascarme la cabeza, como si la explicación de mi madre me hubiera provocado un gran picor, y como además de los trabalenguas me gusta la música que desprenden las palabras cuando se las rima, me dije:

—No sé si me rasco por asco o por fiasco. ¡En todo caso, menudo atasco tengo en el casco!

Bueno, ya sé que no soy una gran poetisa, pero lo importante es la intención. Además, soy muy joven, así que tengo toda la vida por delante para mejorar. Sí, quizá algún día mis rimas acaben siendo famosas en el mundo entero, ¿por qué no?

Más tarde, mientras zapeaba en busca de un programa de televisión que me gustara, un señor dijo:

—El verdadero pesimista es aquel que mira un donut y sólo ve el agujero.

Semejante observación me hizo reflexionar. ¿Era Tristán un pesimista, además de un triste? Probablemente. No me costó mucho trabajo imaginármelo mirando a través del agujero de un donut, incapaz de ver el bollo.

Pasé la noche pensando cómo aliviar la tristeza de Tristán, o mejor dicho, cómo derrotarla con un poco de simpatía, de modo que ideé un montón de trabalenguas y rimas con el propósito de soltárselos en cuanto tuviera una oportunidad.

Ésta se presentó al día siguiente, en clase. Tristán llegó con su caminar de siempre, de puntillas, sin hacer ruido. En cuanto tomó asiento, me acerqué hasta su pupitre y le dije:

—Buenos días, triste Tristán Triste de Villa Trieste.

Tristán escuchó mi trabalenguas con el mismo aire indiferente del día anterior, sin inmutarse, sin siquiera pestañear, así que añadí:

—Está bien, lo reconozco, Alicia también la pifia.

Y luego, tras comprobar que llevaba suelto uno de los cordones de las zapatillas de deportes, le advertí con una nueva rima:

—Al mudo le falta un nudo. ¡Cuidado, Tristán, con la treta, no vayas a partirte la jeta!

¡Nada! ¡No hubo manera de arrancarle una palabra o una sonrisa! Claro que no soy una persona que se rinda fácilmente, menos aún ante un muchacho de modales rudos y asilvestrados.

Decidí entonces cambiar de pupitre y sentarme justo detrás de él, lo que despertó murmullos entre mis compañeros de clase, puesto que, al parecer, nadie se había atrevido jamás a sentarse cerca de Tristán.

—Tan, tan, tan, ¿está Tristán? —le dije ahora golpeando su espalda con mis puños.

Pero tocar la espalda de Tristán fue lo mismo que golpear el caparazón de una tortuga: escondió la cabeza, como si temiera algún peligro.

—Tristán, tan, tan... triste que no se permite un despiste y el malhumor lleva en ristre. ¡Bueno, al menos no embiste! ¿No ves, Tristán, que la pifia no es de Alicia, sino de la injusticia?

Esta vez Tristán me dedicó una mirada limpia, desnuda. Incluso estuvo a punto de arrancarse a hablar, pero, tras pensárselo mejor, volvió a su actitud de siempre.

Me faltaba, no obstante, explicarle que estaba en desacuerdo con el comportamiento del resto de mis compañeros, que, en mi opinión, nadie merece el desprecio, aunque sea el hijo de un fantasma, de modo que volví a la carga:

—Lo peor no es tener un padre de cera, sino ser de carne de ternera y encima tener el corazón tan frío como una nevera. ¿Es que en este pueblo no hay personas enteras? Yo, sin embargo, creo que ningún ser humano ha de ser pisoteado como una estera, ¿te enteras? —añadí.

Y como colofón, planteé:

—¿No está *mano* dentro de la palabra *humano,* a qué esperamos entonces para estrecharnos la mano? La solidaridad no es estrafalaria, sino extraordinaria.

Reconozco que a veces me paso con las rimas y con los trabalenguas, pero soy así. Una vez que tomo carrerilla, no puedo parar. De modo que cuando terminaron las clases, y al comprobar que mis rimas y trabalenguas no habían surtido ningún efecto, me despedí diciéndole:

—Tristán Triste es igual que Villa Trieste: rupestre, silvestre y ecuestre.

Entonces ocurrió algo inesperado, Tristán me entregó un sobre donde había escrito: «No me mires, que miran que nos miramos, miremos la manera de no mirarnos. No nos miremos y, cuando no nos miren, nos miraremos».

Pero aún había otra sorpresa: el sobre guardaba una carta.

2

TRISTÁN TRISTE CUENTA SU HISTORIA

QUERIDA Alicia:

Supongo que te extrañará que te escriba cuando te niego el saludo y vuelvo la cara siempre que te diriges a mí. Sin embargo, si no te hablo no es porque sea un maleducado. Si callo es precisamente para protegerte de mí. Bastaría una palabra mía para que el pueblo entero te diera la espalda. Quiero decir que, si te hablara, la gente dejaría de dirigirte la palabra. Te señalarían con el dedo, te mirarían con malos ojos.

No me llamo Tristán por casualidad. Cuando nací, mi padre acababa de morir, lo que sumió a mi madre en una profunda tristeza, de ahí mi nombre. Pero como las desgracias nunca vienen solas, al poco tiempo perdí también a mi madre. Lo único que me quedó en este mundo fue Villa Trieste y una figura

de cera de mi padre realizada por él mismo, pues en vida fue escultor en el Museo de Cera de la capital. Fue a partir de entonces cuando todos en el pueblo empezaron a llamarme Triste Tristán, y más tarde Tristán Triste. Desde entonces nadie se ha atrevido a entrar en Villa Trieste. Y si sobrevivo, es gracias al temor que provoca el fantasma de cera entre los vecinos del pueblo. Le tienen tanto miedo que si voy al supermercado, nadie se atreve a cobrarme. Y lo mismo ocurre con todo lo demás. Voy gratis al colegio y entro de balde en la piscina. Claro que me gustaría que Villa Trieste no tuviera un aspecto tan fantasmagórico, pero yo solo no me valgo para podar los árboles, plantar el césped o pintar la casa, y el fantasma de cera no se atreve a salir de la vivienda, no vaya el sol a derretirlo. Más o menos, ésta es mi historia. ¿Comprendes ahora por qué estoy siempre tan triste? ¿Acaso hay mayor desdicha que no tener padre ni madre? ¿No es horrible que todo el mundo le tenga a uno miedo por vivir con un fantasma? Pero no quiero ponerme triste…

Por cierto, Alicia no la pifia. A mí también me gustan los trabalenguas y las rimas. De buena gana me hubiera reído esta mañana en clase, pero, como ya te he dicho, de haberlo hecho te hubiera perjudicado. Y por si no me crees, aquí tienes un adelanto: «Tristán el tristón se subirá mañana por la tarde al sauce llorón. Subido a una rama del sauce llorón, Tristán el tristón escuchará de los pájaros el trino y del cielo mirará los Triones».

¿Que qué son los Triones? Las siete estrellas mayores de la Osa Mayor.

Estos versos son una invitación para que me observes desde tu balcón. Aunque no podamos hablarnos, quizá sí podamos comunicarnos por medio de gestos, con las manos.

Un saludo afectuoso de

TRISTÁN TRISTE.

3

La respuesta de Alicia

Recibir aquella carta me produjo una enorme alegría, aunque me dio que pensar en los gestos que íbamos a utilizar para entendernos. Después de todo, para que dos personas puedan comunicarse mediante gestos, es necesario que ambos conozcan el significado, y para eso Tristán y yo teníamos que ponernos de acuerdo. Imaginad, por ejemplo, que Tristán levantara la mano para decirme hola, y que yo interpretara otra cosa, ¿qué pasaría? Pues que nunca llegaríamos a entendernos. Decidí, por tanto, responder a su carta con otra:

«Querido Tristán Triste:

Me da mucha pena pensar que si digo trapecista, tú entiendas equilibrista, que si digo trasto, tú interpretes gasto, de modo que habremos de mejorar la triquiñuela si no queremos que nos duelan las muelas. Por gesticular y no entendernos, se entiende.

Me congratula saber que se te dan tan bien los versos, aunque tu historia es verdaderamente triste y me hace sentir… Tristana. Es decir, cuando pienso en tu historia no soy Alicia, sino Tristana. ¡Me gustaría tanto que me dejaras regalarte mi dicha para aliviar tu desdicha! ¡Mimarte con mimo y hablarte con tino! ¿Acaso no es ése un gran destino? Lo contrario es un timo que no arregla un trino por mucho que trepes a la copa de un pino. De modo que ándate fino para que no tenga que llamarte cretino.

Un saludo afectuoso de tu vecina y compañera de clase,

ALICIA.»

Una vez hube terminado la carta, me apresuré a arrojarla al jardín de Villa Trieste, confiando en que Tristán la vería antes de trepar al sauce.

No fue así, por lo que intenté hacérselo saber por todos los medios a mi alcance. Tristán, sin embargo, se conformaba con subir y subir cada vez más alto, y con mirar hacia el cielo de vez en cuando, como si se hubiera olvidado de mí, de nuestro trato, de modo que no tuve más remedio que hacerme notar de una manera más drástica. Cogí mi espejito de mano, busqué un rayo de sol y desvié su trayectoria hasta que quedó situado justo a la altura de los ojos de Tristán, que comenzó a hacer aspavientos con los brazos y a tambalearse peligrosamente, como quien trata de zafarse del acoso de una avispa. Supe inmediatamente que había cometido un error, que no se debe deslumbrar a nadie que esté trepando por un árbol. Entonces, escondiendo el espejito, grité con todas mis fuerzas:

—¡Cuidado, Tris…

«…Tán», respondió el cuerpo de Tristán al chocar contra el suelo.

De nuevo convertida en Tristana (pues el batacazo sonó verdaderamente mal, lo que me entristeció enormemente), me agarré a la cortina y me descolgué por la ventana (era un primero, podéis estar tranquilos). Al tris que hizo la cortina al desgarrarse, le siguió el

tras de la puerta de Villa Trieste, que golpeé con los nudillos. Todo un tras trascendental, pues aún desconocía las consecuencias del traspié de Tristán. Nadie respondió, sin embargo, a mi llamada, por lo que no tuve más remedio que encaramarme a la tapia. Desde allí vi a Tristán tirado sobre el suelo. Parecía un polluelo recién salido del cascarón, tan rubio y tan blanco.

—De la rama salté como una rana, tomé el suelo por cama, y ahora a ver quién me sana. ¡Cómo me duelen los brazos! ¡Me parece que me los he roto! —dijo al verme subida a la tapia.

¡Por fin había hablado! ¡Su voz era sonora y vibrante! ¡Puro zumo de melancolía!

—¡Mi intención no era…, sólo quería…! Yo también te he escrito una carta, ¿estás bien? —expresé con cierto aturullamiento mientras me descolgaba dentro del jardín de Villa Trieste.

—¿Has sido tú quien me ha deslumbrado? —me interrogó Tristán.

—Alicia de nuevo la estropicia —reconocí mi culpa.

—Está bien. Dejémonos de trabalenguas. Lo que necesito ahora es un trababrazos —me replicó.

—¿Un trababrazos?

—Alguien que me cure los brazos, que me los entablille o escayole. No lloro de dolor porque estás tú delante.

—Si quieres me doy la vuelta —sugerí ante la posibilidad de que, en efecto, quisiera llorar.

—No seas niña. Ayúdame a levantarme.

—¿Quieres que avise a tu padre? —solté inesperadamente, sin considerar que el padre de Tristán era…

—Jamás verás al fantasma de cera en la acera. Si saliera, se derretiría a causa de la solanera. Además, no sabría qué hacer conmigo. ¡Es sólo un fantasma! —me replicó.

Recordé entonces que mi padre era médico, o casi; es decir, era veterinario, médico de animales.

Ayudé a Tristán a levantarse y, renqueante y aturdido, pues le dolía mucho la cabeza, conseguí que me siguiera hasta la nueva consulta de mi padre, que estaba al otro lado del pueblo.

El diagnóstico de mi padre fue claro:

—Tienes las dos muñecas dislocadas. Pero lo que me preocupa es el hematoma que presenta tu cabeza. Te has dado un buen golpe —le dijo a Tristán.

—No se preocupe por mi cabeza, señor, la tengo bien dura —respondió Tristán.

—Aun así. Voy a llevarte al hospital de la capital, para que te tengan en observación veinticuatro horas.

—¿Veinticuatro horas en la capital? —dijo ahora Tristán, como si le hubieran mencionado el infierno.

—Veinticuatro horas o más, las que hagan falta. Viviendo tan lejos del hospital más cercano, lo mejor es prevenir.

—¿Y mi padre?

—Alicia se encargará de darle el aviso.

—¿Yo? —dije sorprendida.

¿Cómo explicarle a mi padre que lo que me pedía era imposible? ¿Cómo decirle que el padre de Tristán era… un fantasma?

—Entra sin miedo —me aconsejó Tristán leyéndome el pensamiento.

—Bien, entro sin miedo, ¿pero qué hago

con el terror y con el pánico, dónde los escondo? No creo que me quepan en los bolsillos. Nunca he visto un fantasma.

—La mayoría de los fantasmas son almas en pena, de modo que en vez de miedo deberíamos sentir compasión por ellos. El fantasma de cera no es una excepción. Ya te he dicho que su cuerpo es de cera y que mi padre fue en vida el mejor escultor de figuras de cera del mundo, de modo que parece un hombre como otro cualquiera. En lo único en que se nota que es un fantasma es en sus movimientos, que son algo más toscos y lentos de lo corriente, y en la voz, que parece un silbido. Háblale con normalidad, no des muestras de temor y serás bien tratada.

No parecía que pudiera negarme a visitar al padre de Tristán, por muy fantasma que fuera, de modo que camino de Villa Trieste reflexioné: «Se prepara una buena escena para antes de la cena. ¿Acaso el fantasma no tiene suficiente condena con arrastrar su cadena para que ahora vaya yo a contarle una nueva pena? ¿Y si sufre un acceso de rabia o de furia? ¿Y si pierde los estribos?».

Pese a mis temores, no di media vuelta, seguí caminando hacia Villa Trieste, pues, como dice siempre mi padre, sólo aprenden quienes viajan en la dirección del miedo.

4

ALICIA VISITA AL FANTASMA DE CERA

ESTABAN dando las seis de la tarde cuando volví a adentrarme en el jardín de Villa Trieste, esta vez por la puerta, pues, tras el accidente, la habíamos dejado abierta.

Conforme caminaba hacia la casa, noté cómo las piernas se me iban convirtiendo en temblorosos alambres, y cómo la dentadura me castañeaba cual pico de cigüeña, por lo que decidí quitarme el miedo a base de inventar nuevos trabalenguas y rimas que me mantuvieran distraída:

—El miedo es un medio para el miedoso. El miedo está en la mente y por eso se siente. Ahora, miedo, si estás ahí latente, deténte y sal de mi mente —me conjuré.

Y cuando llegó la hora de entrar en la casa, añadí:

—Piso sin permiso y dentro me deslizo sin

hacer ningún estropicio y si es preciso corro los cien metros lisos.

Y después de registrar la primera planta, donde no encontré a nadie, me planté delante de la escalera y, mirando hacia su parte más alta, hice una nueva rima:

—Hasta ese hito subiré despacito y, una vez lo alcance, buscaré un rinconcito desde donde poder huir rapidito o tal vez dar algún grito.

Y así lo hice, subí escalón tras escalón, como una tortuga, y cuando llegué arriba, me refugié en un recodo del pasillo, desde donde me dispuse a seguir buscando al fantasma de cera.

Husmeé por el pasillo, pero sólo conseguí ver una tela de araña de la que colgaba su inquilina, de modo que exclamé:

—¡Nunca vi araña de tamaña calaña! ¡Con esas patas seguro que araña! ¡Ay, si con mi maña tuviera una caña haría que se diera una castaña!

—¿Oigo a una extraña hablar de castañas y de cañas? —preguntó una voz silbante y a la vez profunda.

—Hablo de esa araña —respondí con la voz temblorosa.

Y miré hacia la parte más oscura del pasillo, donde resaltaba una figura tan blanca que casi me deslumbró. Era el fantasma de cera. Físicamente se parecía a Tristán, aunque era bastante más alto y robusto que éste, y tenía el cabello teñido por las canas y la frente surcada por un sinfín de pequeñas arrugas. Su ojos irradiaban un extraño brillo, que terminaba de iluminar la blancura del rostro. Tal y como había adelantado Tristán, el fantasma de cera parecía un hombre como otro cualquiera.

—¡Menuda maraña! ¿A ver dónde está esa araña? ¡Ah, mírala, sí que parece de mala calaña! ¿Creerá que esto es una cabaña? Y ahora, dime quién eres, extraña —habló el fantasma de cera.

Y tras comenzar a caminar torpemente en mi dirección, añadió:

—¡Vaya, parece que me has contagiado tu afición por las rimas!

Descubrí entonces que el fantasma de cera era impulsado por una enorme sombra, que iba pegada a sus talones como cualquier sombra, lo que me llevó a exclamar entre sorprendida y asustada:

—¡Es la sombra la que de verdad asombra!

—Es la sombra la que empuja al muñeco de cera. Un fantasma es ante todo una sombra que asombra. Me estiro, me encojo, me ensancho, me estrecho, éstas son cosas que hago todos los días. No soy ni persona ni animal, ¿qué cosa puedo ser sino una sombra? ¿Qué pensabas que era un fantasma, una alfombra? Y ahora, responde de una vez, ¿quién eres y cómo te has atrevido a entrar sin permiso en Villa Trieste? —dijo empleando en esta ocasión un tono más impaciente.

—Me envía Tristán —aclaré.

—¿Y dónde está Tristán? —se interesó el fantasma de cera.

—Camino del hospital

—¿Del hospital, dices? ¡Por todos los tristes de este mundo! ¡Ya ha hecho Tristán una nueva trastada! ¡Tristán Trasto, y no Tristán Triste, así es como debería llamarse!

—Se cayó del sauce llorón del jardín. Tiene las dos muñecas dislocadas y ha de permanecer en observación durante algunas horas.

—Tristán siempre anda enredando entre las ramas del sauce llorón, el muy tristón. ¡A Tristán Triste le gusta el árbol más triste de Villa Trieste! ¿Qué te parece? ¿Acaso es eso normal? ¡Con lo alegres que son los olmos o incluso los tejos! En más de una ocasión he estado a punto de podar el sauce, pero, llegado el momento, me daba cuenta de que no podía. ¡Sólo soy un fantasma! Puedo dar miedo, puedo asustar a la gente, pero no puedo podar un árbol.

—La tristeza no se puede podar, hay que cortarla de raíz —intervine.

—¡Tienes razón! ¡El problema es que la raíz de la tristeza de Tristán soy yo! ¡Ay, jovencita, estoy tan cansado de ser un fantasma! Incluso me cuesta trabajo empujar este cuerpo de cera. No, no creas que me gusta ser un fantasma. A ningún fantasma le gusta su oficio. Por un lado, nadie nos toma en serio; por otro, a todos damos miedo. ¿Pero qué remedio me queda? ¿Quién si no se ocuparía del pobre Tristán? Le prometí a su madre que cuidaría de él hasta que encontrara a alguien que estuviera dispuesto a hacerlo por mí. Sin embargo, las cosas se torcieron. Nadie se acerca a esta casa, y hasta el propio Tristán tiene miedo de vivir con un fantasma. Lo peor de todo es que al ser mi cuerpo de cera, no puedo realizar ciertas labores domésticas como es debido. Ni siquiera soy capaz de encender la hornilla o de enchufar la plancha por temor a derretirme. Y tampoco podré visitar a Tristán en el hospital. Créeme, ser un fantasma es todo un fastidio.

Me dio tanta pena el fantasma de cera que no tardé en buscarle una solución a sus problemas.

—Mañana es sábado y no tengo colegio, así que había pensado acercarme hasta el hospital para visitar a Tristán, ¿por qué no viene conmigo? —le propuse.

—Porque me derretiría en cuanto me cayera un rayo de sol sobre la cabeza —me respondió.

—No, si camina por la calle bajo la protección de un paraguas.

—¿De un paraguas? —se interesó ahora.

—Los paraguas no sólo sirven para la lluvia, también se utilizan para proteger a las personas contra los rayos solares. Además, saldríamos por la mañana temprano, antes de que el sol comience a apretar, y regresaríamos por la tarde, después de la puesta del sol.

Mi propuesta debió de satisfacer plenamente al fantasma de cera, pues después de rascarse la cabeza, volvió a preguntarme:

—¿Es que acaso no te doy miedo?

—¿Darme miedo? Ni en este dedo siento miedo —le dije enseñándole uno de mis dedos meñiques—. En casa me llaman Alicia sin miedo.

Después de aquel comentario, más propio de Juan Sin Miedo que de mí, me despedí del fantasma de cera hasta el día siguiente.

Era cierto que no había pasado *mucho* miedo; sin embargo, en cuanto pisé de nuevo el jardín, me vino a la cabeza el siguiente soniquete:

Corre, corre, corre.
Sigue corriendo hasta correr,
corre, corre, corre,
sigue corriendo hasta descorrer el cerrojo,
socorro, cómo corro.

Y conforme las palabras iban saliendo de mi boca, fui acelerando el paso, hasta que acabé corriendo... hasta correr.

5

ALICIA ELIGE EL TRAJE DE FANTASMA DE CERA

CUANDO llegué a la mañana siguiente a Villa Trieste, me encontré al fantasma de cera dando vueltas por la casa, envuelto en una sábana, como si fuera un fantasma a la vieja usanza y no un muñeco de cera, por lo que me asusté de verdad.

—¿Qué ocurre? —pregunté sin comprender a qué se debía tanta excitación.

—Nada. Solamente vago y reflexiono.

—¿Vaga?

—Vago. En eso ocupamos nuestro tiempo los fantasmas, vagamos. Quiero decir que vagamos de vagar, no de vaguear. Aunque también hay fantasmas vagos que son incapaces de vagar, porque lo que les gusta es vaguear. Tengo, además, un terrible problema. No sé qué ponerme para ir a ese hospital —me explicó.

Y luego, tras llevarme en volandas hasta un armario lleno de trajes que en vida utilizaba para vestir las figuras de cera del museo, me preguntó:

—¿Me pongo chaqueta con chancletas?

—La chaqueta es bien chuleta, pero las chancletas son muy poco discretas —le advertí.

—¿Y este traje de paje, o mejor este otro de encaje?

—Ni el de paje ni el de encaje sirven para traje de viaje —sugerí ahora.

—¿Entonces de romano? —volvió a preguntarme el fantasma de cera.

—Vestirse de romano es hoy día lo mismo que disfrazarse de marciano —le respondí.

—¿Con bata o con corbata?

—Con corbata, si es barata.

—¿Me pongo tirantes?

—No, son asfixiantes.

—¿Qué tal si trinco la trenca de color tronco?

—¿Trinco Trenca Tronco? Nada de trincar trenca, tronco —opiné.

—En fin, todo se ha ido al traste, tendré que llamar al sastre. ¡Qué desastre!

Pensé en lo mucho que se parecía el fantasma de cera a mi padre, a quien mi madre le elegía la ropa todas las mañanas.

Después de rebuscar convenientemente en el armario, logré formar un conjunto con una chaqueta tirolesa, una gorra inglesa, una camisa de labriego sin cuello y unos pantalones bombachos algo anticuados que llegaban hasta la rodilla. Es verdad que los pantalones eran bastante estrafalarios, pero pese a esta circunstancia pensé en la conveniencia de que el fantasma de cera llevara las pantorrillas al aire, para mantenerse fresco.

Una vez en la calle, y como la sombra del paraguas no era lo suficientemente grande y el fantasma no paraba de quejarse y de sudar gotas de cera que hacían peligrar su integridad física, le propuse:

—¿Por qué no se da sombra con su sombra? Después de todo, usted no es más que eso, una sombra. Yo podría tirar del muñeco de cera.

—¡Me asombras! Me pregunto cómo siendo yo una sombra nunca se me ha ocurrido darme sombra. ¡Eureka!

Lo cierto era que temía que el fantasma de cera pudiera derretírseme sobre la acera, delante de mis narices, de modo que Tristán quedara definitivamente huérfano, sobre todo ahora que estaba en el hospital por mi culpa.

La sombra se despegó entonces de los pies del muñeco de cera y se situó un palmo por encima de su cabeza y del paraguas.

La mejoría fue inmediata, el muñeco de cera dejó de sudar y la temperatura bajó dos o tres grados, por lo que el fantasma me dijo:

—Alicia jamás la estropicia; todo lo contrario, es como una brisa que acaricia. A tus pies pondría mi sombra como una alfombra, puesto que me asombras. Ahora deja que sea yo quien te dé sombra, pues con ser ninguno mi ser, muchas veces en un día suelo menguar y crecer, y no me puedo mover si no tengo compañía. Eso es ser una sombra.

6

ALICIA Y EL FANTASMA DE CERA VIAJAN EN AUTOBÚS

EL viaje hasta la capital resultó la mar de cómodo, pues en cuanto subimos al autobús, los viajeros se arrojaron sobre la acera al ver llegar al fantasma de cera.

—Era el fantasma de cera. Va vestido de otra manera —dijeron nada más poner los pies sobre la acera.

—Sí, parece de otra era —añadían los que ya estaban en la calle observando.

—Mejor, así no habrá espera, que es algo que siempre me desespera. Quien espera desespera, y hasta le pueden robar la cartera —me dijo el fantasma de cera.

—Sí, a mí también me desespera la espera en la acera —le di la réplica.

Luego, asomando la cabeza por la ventanilla, y como viera que se habían formado unas cuantas nubes que amenazaban tormenta, dijo:

—El cielo está enladrillado, ¿quién lo de-
senladrillará? El desenladrillador que lo de-
senladrille, buen desenladrillador será.

Y después de que mi cara se iluminara con
una sonrisa, añadió:

—Veo que te gustan los trabalenguas.

—Es lo que más me gusta del mundo. No
conozco nada más divertido que jugar con las
palabras. Hacer con ellas ripios, rimas, música en definitiva. Cada vocal y cada conso-
nante es como un instrumento. Por ejemplo,
si a la grasa le quitamos el gruñido *(gr),* se
queda en asa. Si a la palabra *salida* le quitamos la ida, tenemos sal.

—De las rimas eres prima. A ver qué te
parece este trabalenguas:

> *Guerra tenía una parra,*
> *y Parra tenía una perra,*
> *y la perra de Parra*
> *mordió la parra de Guerra,*
> *y Guerra le pegó con la porra*
> *a la perra de Parra.*
> *Diga usted, señor Guerra:*
> *¿Por qué le ha pegado*

con la porra a la perra?
Porque si la perra de Parra
no hubiera mordido la parra de Guerra,
Guerra no le hubiera pegado
con la porra a la perra.

Tardé algún tiempo en aprenderme de memoria aquel trabalenguas, y cuando lo hube memorizado del todo, el fantasma de cera añadió:

—Si ya te destrabalenguaste, seguiré trabalenguando siguiendo el orden trabalenguario.

Y más adelante, al pasar junto a un ganadero que iba acompañado de una vaca por el arcén de la carretera, dijo:

—Por la carretera va caminando un bicho. El nombre del bicho ya te lo he dicho.

Y cuando una ráfaga de viento que se coló por la ventana lo puso todo patas arriba, me preguntó:

—¿Qué cosa es que silba sin boca, corre sin pies, te pega en la cara y tú no lo ves?

Era el fantasma de cera un gran conversador y también un gran recitador de trabalenguas y acertijos, por lo que el viaje pasó volando.

7

ALICIA Y EL FANTASMA DE CERA VISITAN A TRISTÁN EN EL HOSPITAL

POR indicación del fantasma de cera, el viaje no terminó en la parada del autobús, sino en la mismísima puerta del hospital. La frase clave para convencer al conductor fue la siguiente:

—¡Caballero, si nos deja en la parada del autobús es posible que me derrita con este sol, y si me derrito, me irrito y grito!

Lo cierto era que la voz silbante y profunda del fantasma bastaba para intimidar a cualquiera, de modo que después de pronunciar «y si me derrito, me irrito y grito», el conductor puso rumbo al hospital sin chistar.

Tardamos más en dar con la habitación de Tristán que en el viaje en autobús, pues el hospital de la capital era tan grande como el pueblo, sólo que en vez de tener calles y plazas era un laberinto de pasillos. Todos iguales para más inri.

—¿Te has dado cuenta de que aquí nadie sabe que soy un muñeco de cera? Nadie ha dicho: «¡Mirad, ahí va el fantasma de cera!» —me dijo el fantasma de cera sorprendido.

—Es porque a los enfermos se les pone la cara del color de la cera. Otro tanto ocurre con su forma de andar. Los enfermos caminan lentamente, con dificultad. Así que todos parecen muñecos de cera —expuse.

—El suelo de este hospital está encerado, ¿quién lo desencerará? El desencerador que lo desencere, buen desencerador será —añadió el fantasma de cera después de ver su rostro reflejado en el suelo encerado.

Algunos médicos se empeñaron incluso en ingresar al fantasma de cera.

—Hepatitis —dijo uno.

—Apendicitis —indicó otro.

—Amigdalitis —diagnosticó un tercero.

—¡Cuentitis! —exclamó el fantasma de cera con su peor voz de enfado—. ¡Médicos inútiles! ¡Cuando era un mortal de carne y hueso me dijisteis que estaba sano, y al poco tiempo caí enfermo! ¡Y ahora que sólo soy un muñeco de cera veis en mi rostro toda clase de enfermedades!

La habitación que ocupaba Tristán junto con otros dos enfermos parecía un congreso de tristes, pues no hay nada más triste que un hospital. A los pies del primer enfermo, el médico había escrito en una tablilla: «Observaciones: cadera rota». En la tablilla del segundo enfermo ponía: «Observaciones: rotura de los huesos propios de la nariz».

Y como el fantasma de cera leyó en voz alta el diagnóstico que aparecía en la tablilla, el segundo enfermo dijo:

—Desde luego, si los huesos de la nariz de uno no son los propios, no sé cuáles son los huesos propios de uno.

Por fin, en la tablilla de Tristán, el médico de cabecera había escrito: «Observaciones: En observación. Obsérvese durante las próximas veinticuatro horas». Todas las notas estaban firmadas por un tal Calixto.

Tristán tardó unos segundos en reconocernos, pero en cuanto lo hizo, exclamó sin siquiera tomar aire para respirar:

—¡Por fin unas caras amigas! Este sanatorio es peor que un supositorio, y más triste que Villa Trieste. Los médicos juegan al despiste, alguna enfermera embiste y la comida parece alpiste. ¿Habéis visto a Calixto el listo?

—¿Calixto el listo? —se interesó el fantasma de cera.

—El médico. Se llama Calixto, pero todos le llaman el listo, porque jamás prueba el pisto —aclaró Tristán.

—¿Es malo el pisto? —volvió a interesarse el fantasma de cera.

—¿Malo el pisto? La verdad es que yo no lo he visto. Pero cada vez que ponen para comer pisto se monta un cristo. El único que no lo prueba es Calixto el listo.

—¿Entonces no has comido pisto?

—No. Cuando me trajeron el pisto, dije: «Yo como Calixto, no pruebo el pisto. Quiero un sándwich mixto». Pero la enfermera me respondió: «¡Habráse visto! ¡Ni que fueras un ministro! ¿Acaso te crees más listo que Calixto? En este hospital no se sirven sándwiches mixtos. Nuestro suministro sólo da para el pisto».

—¡Cristo! ¡Lo que daría yo por un plato de pisto! ¡Qué tonto es ese Calixto el listo! —exclamó el fantasma de cera, quien, por ser precisamente de cera, no comía jamás, aunque no le faltaban ganas.

Ya veis que las rimas son más contagiosas que la gripe, de modo que Tristán y el fantasma de cera pasaron un buen rato hablando del pisto y de Calixto el listo. Hasta que llegó precisamente Calixto el listo y dijo:

—Tristán está listo.

Hubo una gran carcajada. Yo quise decir algo, pero no pude porque las únicas palabras que me venían a la cabeza eran: «Visto, pisto, listo y ¡por Cristo!».

—¿A qué viene montar este cisco? —preguntó Calixto el listo.

Y los tres volvimos a desternillarnos de la risa.

8

ALICIA SE OCUPA DE
«VILLA TRIESTE»

ME sentía en deuda con Tristán, así que me ofrecí a hacerle los deberes, de manera que la convalecencia le resultara menos dura. Y como en el interior de Villa Trieste había poca luz, pues era necesario mantener fresca la casa para que el fantasma de cera no se derritiera, decidimos salir al jardín y sentarnos a la sombra del sauce llorón.

—Pero nada de trepar al sauce —nos advirtió el fantasma de cera.

Después de prometerle al fantasma de cera que no íbamos a trepar a ningún árbol, Tristán y yo nos comprometimos a intentar hablarnos mediante rimas mientras hacíamos los deberes, en caso de que eso fuera posible.

—Las ramas nos pondremos por sombrero y de sus sombras haremos una alfombra. Jamás volverá esta rana a saltar a la rama, pues ya se ha visto que no resulta fácil acertar con la filigrana. Te lo prometo, Tristana —comenzó Tristán con las rimas mientras nos dirigíamos hacia el sauce.

—Gracias a Dios que no me llamo Tristana de verdad, porque de lo contrario con tu desgana podría salirme alguna cana —repliqué.

—A Tristana la pondría yo en una peana. Es mi amiga y mi hermana —dijo ahora Tristán.

—Las ganas. Además, prefiero mi cama a una peana. Ahora, Tristán tarambana amigo de la desgana, empecemos con el inglés. Lee y traduce esta frase: *How are you?*

—*Jo ar ju.*

—¡Hala, a mocosuena como suene! Se dice: *Jau ar yu.* Significa: ¿Cómo estás tú?

—¿A mocosuena como suene? ¿Qué tiene que ver mi inglés con los mocos?

—A mocosuena como suene quiere decir que pronuncias como te da la gana, Tristanorro.

—Ahorro. Digo que pronuncio así por ahorro —se justificó Tristán siguiendo con nuestro juego de las rimas.

—Vaya morro. ¡Nadie habla con ahorro! ¿Y si tuvieras que pedir socorro?

—Tienes razón, si ahorro al pedir socorro, es posible que entonces acabe diciendo corro en vez de socorro. Temo que como siga así, cataré el cate. ¿A qué sabrá un cate en inglés? —expuso ahora.

—Yo sólo he probado el aprobado. Aunque también es noble y loable el notable. Claro que nunca sobra un sobre...

—...Caliente...

—Detente. No hablo de un sobre caliente, sino de un sobresaliente.

—Ya, hablas dando la nota. Yo hablo de un sobre caliente de sopa. Siempre que estoy convaleciente me apetece un sobre de sopa caliente. Y ya que menciono la comida, tengo que ir al supermercado, pero con las muñecas dislocadas no creo que pueda... Necesitaré que alguien me... ¿Estarías dispuesta a...?

—Reserva la monserga, yo te traeré las conservas —me ofrecí.

—¡Menuda lata es comer de latas! ¡Pero qué le voy a hacer si soy más pobre que las ra-

tas! ¿Ves a esa gata? Pues hasta ella tiene quien le abra las latas sin darle la lata. Yo, en cambio, soy mi propio abrelatas. Veamos, tienes que traerme dos latas de atún en escabeche, dos de sardinas en aceite, una de pulpo a la americana. ¡Ah! Y tres latas de tomate.

Pese a que la rima de la lata me había parecido barata, seguí con el juego, ahora más interesada en saber lo que Tristán sabía que en otra cosa, así que dije:

—¡Tate con el tomate! Antes hemos de terminar con los deberes. Literatura: ¿De qué es la mancha de don Quijote?

—¿De tomate?

—¡Tate con el tomate! Vaya dislate. La mancha no es de don Quijote, sino que don Quijote es de la Mancha, burroasno.

—¿Por qué no pasamos al tebeo?

—Yo sí que te veo. Geografía: ¿Qué es la Macedonia?

—Un postre. Macedonia de frutas. ¡Me encanta la macedonia de frutas! Apunta también una lata de macedonia de frutas.

—¡Hala, burroasno, confundes la macedonia de frutas con la Macedonia de los mapas!

Otra pregunta de geografía: ¿Dónde está el Indo?

—¿El Indo? Esta vez me rindo.

—Pasemos a la geometría: ¿Qué es un cateto?

—Un paleto coqueto.

—Definitivamente, eres un burroasno al cubo. No piensas, sino que te gusta el pienso. Sí, creo que en vez de tanta lata, voy a comprarte un saco de pienso para comer. Al menos de esa forma, mientras estés masticando el pienso, podrás decir eso de: «Pienso, luego existo». ¿Es que en tu casa no tienes libros?

—Sólo hay uno y pertenece al fantasma de cera. Se titula *Tres tristes tigres*.

—¿Intentas decirme, Tristán Triste, que en Villa Trieste hasta los tigres están tristes? ¿Y qué hay de los libros de texto?

—Detesto los libros de texto —dijo ahora torciendo el gesto.

—Ahora comprendo tu ignorancia —concluí.

Tristán asintió avergonzado.

Pero Tristán no era un ignorante sólo a la hora de hacer los deberes, tampoco sabía limpiar, planchar o hacer las labores de la casa, de modo que Villa Trieste era un auténtico desastre. Todo estaba manga por hombro. Todo estaba sucio y polvoriento. El desorden campaba a sus anchas por toda la casa.

—¿Qué hace el hilo dental en el delantal? ¿Y la aspiradora dentro de la secadora? ¿No es hora de poner la lavadora? —dije a modo de queja.

En cuanto a la ropa, Tristán iba más arrugado que una pasa. Aproveché un ataque de tos del fantasma de cera para decirle:

—¿No ves que el fantasma tiene asma?

—¿Asma el fantasma?

—Es por culpa del polvo.

—Ya está bien el rapapolvo —se quejó Tristán.

Y como vi que me daba la espalda y que mascullaba entre dientes, como si no fuera culpa suya toda aquella suciedad, le advertí:

—Barrendero que barrunta por la senda del sendero, será un buen barruntador, pero no un buen barrendero.

—Gracias por recordarme mi desgracia —me reprochó.

Eso es lo que tienen las palabras además de música, a veces una gracia se puede convertir en una desgracia.

—Creo que no ha sido buena idea hacerme amigo tuyo. Desde que te conozco y trato contigo, me he dislocado las muñecas, he tenido que pasar veinticuatro horas en un hospital, me has hecho avergonzarme de mi ignorancia, y ahora quieres que reconozca que ni mi padre sabe cuidar de mí ni yo sé cuidar de él. ¡Prefiero vivir como antes, cuando no pensaba en estas cosas! ¡Déjame solo! ¡No necesito tu ayuda! —añadió cariacontecido.

Dicho esto, Tristán se encerró en su cuarto dando un gran portazo.

Pasé más de un minuto buscando un trabalenguas que hiciera juego con sus reproches y con sus gestos, hasta que di con uno:

—Nacer barbilampiño, cariacontecido y algo engarrugatado es cosa de niños barbilampiños, cariacontecidos y engarrugatados —grité desde el pasillo.

Luego me marché de Villa Trieste dando un portazo aún más fuerte que el suyo.

9

ALICIA NO SE RINDE

BUENO, de la misma manera que no arrojé la toalla cuando Tristán no quiso hablarme, tampoco estaba dispuesta a rendirme ahora. Tristán había vivido prácticamente solo durante toda su vida, sin amigos, de modo que era incapaz de comprender lo mucho que había progresado al tratar conmigo, pese a que él pensara lo contrario. Decidí escribirle una nueva carta:

«Querido Tristán Triste:

¿De nuevo triste y solo en Villa Trieste? Has de saber que después de tu portazo, huyeron de Villa Trieste los tres tristes tigres del libro. "Tristán Triste es más triste que los tres tigres tristes de Villa Trieste", mascullaron al huir los tres tigres. ¡Menudo trabalenguas! Bromas aparte, quiero que sepas que cuan-

do uno está triste y tiene un amigo, son dos los que están tristes, porque una de las cosas buenas que tiene la amistad es precisamente que todo lo duplica. Cuando uno tiene un amigo, ese amigo acaba formando parte de uno. Uno se convierte en dos. "Dos en uno", se dice. O como decían los mosqueteros: "Uno para todos y todos para uno". ¿De verdad crees que me río de tu ignorancia? Nada de eso. La ignorancia no es motivo de risa. Sé que no eres el responsable de tu ignorancia, la culpa la tienen tus circunstancias personales. ¿Acaso no te ignora todo el mundo en el colegio? ¿No es cierto que los profesores te regalan los aprobados por temor a las represalias del fantasma de cera? Para saber, es necesario aprender. Y las cosas, Tristán, no se aprenden solas, es necesario que alguien se encargue de enseñarnos. Saber por saber, se sabe que el que sabe, sabe más, y el que no sabe, no sabe que no sabe nada más. Por tanto, reconocer que uno es un ignorante, es el primer paso para dejar de serlo. Otro tanto ocurre con la limpieza y el orden. Han de aprenderse. Ahora no tuerzas el gesto, pero pienso regalarte un libro de texto. ¡Y no vuelvas a decir: "Detesto los libros de texto", porque no he oído jamás peor pretexto!

Un saludo afectuoso de tu vecina y compañera de clase,

ALICIA.»

10

EL PLAN DE ALICIA

PESE a que mi relación con Tristán volvió a la normalidad, sabía que las cosas no podían seguir así por mucho tiempo. Ni Tristán estaba contento con su situación, ni tampoco lo estaba el fantasma de cera, puesto que su presencia era más un estorbo que una verdadera compañía. Por tanto, era necesario que Tristán encontrara a alguien que se hiciera cargo de él. Pensé entonces que la solución pasaba por que mis padres y yo nos trasladáramos a Villa Trieste a cambio de cuidar a Tristán. Es decir, no pagaríamos alquiler y Tristán podría vivir con nosotros, por ejemplo, en la buhardilla. De esa forma, el fantasma de cera dejaría de rondar por Villa Trieste, la casa mejoraría su aspecto y Tristán no viviría jamás solo. Todos saldríamos ganando.

La idea entusiasmó al fantasma de cera, si bien me preguntó:

—Y tus padres, ¿estarán dispuestos a cambiar de casa?

—Bueno, nuestro piso es pequeño, no tiene jardín y encima les cuesta dinero. No creo que pongan muchos inconvenientes. La única condición es que han de ser ellos quienes tomen la decisión, pues si yo interviniera directamente, desconfiarían. Pondremos un cartel de alquiler en la puerta de Villa Trieste —le respondí.

Esa tarde Tristán y yo nos reunimos en el jardín de Villa Trieste para confeccionar el cartel de alquiler.

—«Se alquila villa gratis, de nombre Trieste y con un Triste», ¿qué te parece? —propuso Tristán.

—Con esa redacción mis padres no entenderán nada en absoluto. El cartel ha de ser como un anzuelo para que piquen mis jefes, puesto que nadie más en este pueblo está interesado en alquilar Villa Trieste —intervine.

—«Se alquila esta mansión a los vecinos

de enfrente. Un chollo» —propuso ahora Tristán.

—Ahora eres demasiado directo. Pondremos: «Se alquila esta mansión por orfandad y necesidad del dueño».

—¿Y tú me acusas de ser demasiado directo? Tu frase parece sacada de un culebrón televisivo —me reprochó Tristán.

—No olvides que la parte principal del plan no es que mis padres acaben viviendo en Villa Trieste, sino que te acepten como inquilino. Para eso es necesario que sepan desde un principio cuál es tu situación familiar. Se les partirá el corazón.

Pero lo único que se partió fue el cartel de alquiler al cabo de dos semanas. Una racha de viento acabó con él y con nuestras esperanzas de que mis padres supieran de su existencia. Era como si no lo hubieran visto. Después de todo, uno ve los carteles de alquiler sólo cuando necesita alquilar algo. Recuerdo que cuando mi madre se quedó embarazada de mi hermano pequeño, empecé a ver un montón de mujeres embarazadas por la calle. No era que el número de embarazadas hubiera aumentado con el embarazo de mi madre, sino que yo no me había fijado hasta entonces. Pues algo parecido ocurrió con el cartel. Ni mi padre ni mi madre lo vieron.

Claro que, como siempre, no estaba dispuesta a rendirme, de modo que ideé un nuevo plan basado en esa frase que dice: «Si la montaña no va a Mahoma, Mahoma irá a la montaña». Es decir, si mis padres no tenían intención de trasladarse a Villa Trieste, ¿por qué no hacer que el fantasma de cera fuera a mi casa? Al fin y al cabo, si Villa Trieste era una casa encantada, era debido al fantasma de cera, de modo que si aceptaba trasladarse a nuestro piso, se rompería el encantamiento. O mejor dicho, cambiaría de acera.

—Si la montaña no va a Mahoma, Mahoma irá a la montaña —argumenté mi plan delante del fantasma de cera.

—¿Montaña, Mahoma, Mahoma, montaña? ¿Acaso me estás pidiendo que vaya a casa de tus padres para darles un susto de muerte? —me interrogó el fantasma de cera después de interpretar correctamente mis palabras.

—Bueno, tanto como un susto de muerte... Mejor un susto sin muerte. No me gustaría quedarme sin padres. Además, todos nuestros planes se irían entonces al traste. Será suficiente con que les entren ganas de correr hasta Villa Trieste —le aclaré.

—Comprendo. Lo que pretendes es que crean que es su casa la que tiene un fantasma y no Villa Trieste, ¿es eso?

—Exactamente.

—¿Y qué quieres que les diga?

—Se me ocurre que se presente una tarde asegurando ser el fantasma titular de la casa. Lo demás es cosa suya.

—¡Humm! No es una mala idea. Me presentaré en tu casa y diré que soy el fantasma titular, que acabo de llegar de vacaciones y, por descontado, que no estoy dispuesto a compartir piso con unos recién llegados. Les diré a tus padres que el casero sabía de mi existencia y que el muy rufián aprovechó mi ausencia para alquilar la casa sin mi consentimiento.

—¿Un fantasma de vacaciones? No creo que cuele —señalé ahora.

—Vacaciones en el más allá, ¿por qué no? ¿Acaso piensas que los fantasmas no tenemos vacaciones como todo el mundo? ¡Claro que tenemos vacaciones! La única diferencia es que no vamos a Benidorm, sino al más allá. El oficio de fantasma es uno de los más cansados que existen. Uno tiene que asustar a los visitantes, arrastrar cadenas, vestir una de esas ridículas sábanas blancas, atravesar paredes, levitar y hasta ectoplasmarse para poder salir en las fotografías. Todo un gran esfuerzo. Si encima tu sombra tiene que cargar con un muñeco de cera y con la educación de un huérfano, entonces el trabajo se duplica. ¡Créeme, deseo irme de vacaciones y no volver nunca más! ¡Ah, si todo esto sale bien, prometo derretirme para siempre! —se explayó el fantasma de cera.

Creo que el fantasma de cera hablaba en serio, su deseo era derretirse y que su sombra descansara en paz, una vez que Tristán hubiera encontrado con quien vivir.

11

EL FANTASMA DE CERA VISITA LA CASA DE ALICIA

PESE a que quise estar presente durante su visita a nuestra casa, el fantasma de cera se negó en rotundo:

—Lo mejor es que, mientras yo visito a tus padres, Tristán y tú permanezcáis en la puerta de Villa Trieste arreglando el cartel de alquiler. Lo más probable es que, en cuanto me presente y haga de las mías, tus padres corran al más puro estilo «sálvese quien pueda». El resto depende de vosotros. Habréis de aprovechar la situación de desconcierto para indicarles que Villa Trieste se alquila y que su dueño es un pobre huérfano sin medios económicos. Entre tanto, yo me quedaré a vivir en vuestra casa. La ocuparé hasta que todo se haya resuelto favorablemente. Ahora ayúdame a hacer la maleta.

No me quedó más remedio que obedecer.

—¿Quiere las chancletas? —le pregunté.

—Claro, esta vez nada de chaquetas. He de hacerme pasar por un veraneante, y para el verano nada como unas chancletas. ¡Ah, también necesitaré un bañador! Bueno, no parece que haya un bañador en mi armario, aunque sí hay un zorongo aragonés —señaló el fantasma de cera después de echarle un vistazo al armario donde guardaba la ropa de las figuras de cera del museo.

—Al zorongo, me opongo. Mejor lleve esos bongos —señalé.

—¿Pero dispongo de unos bongos? —preguntó ahora el fantasma de cera revolviendo en el fondo del armario—. ¡Ah, míralos! Les diré a tus padres: «¡Del Congo vengo con estos bongos!».

Y a ritmo de bongo salió el fantasma de cera de Villa Trieste dispuesto para jugar al despiste.

Me toca ahora contar lo que pasó durante la visita del fantasma de cera a mi casa, al menos desde fuera. Tristán y yo escribíamos en un nuevo cartel eso de: «Se alquila esta

mansión por orfandad y necesidad del dueño», cuando oímos gritar a mi madre:

—¡Ahhhhhhhhhh!

No fue un grito cualquiera, sino de los que
se dan cuando uno se lleva un susto de los
grandes.

Al grito de mi madre siguió otro de mi padre, más fuerte y grave de tono:

—¡Ohhhhhhhhhh!

Un minuto más tarde ambos saltaron por
la ventana, tal y como yo hiciera cuando el
accidente de Tristán. Al tris que hizo de nuevo la cortina al desgarrarse, le siguió el tras
de la puerta de Villa Trieste, que frenó la hui-
da de golpe. Allí los encontramos Tristán y
yo. Parecían dos conejos asustados.

—¿Qué pasa? —pregunté haciéndome la
inocente.

—...Asma —logró decir mi padre.

—¿Asma? ¿Tienes asma? —proseguí con
la farsa.

—¡...Tasma! —exclamó ahora mi padre,
a quien le costaba respirar tanto como recu-
perar las letras de la palabra fantasma.

—¡Calma! —añadí.

—¡…Antasma!

—¿Qué significa Antasma? —proseguí con mis preguntas.

—¡Un fantasma, hija, un fantasma! ¡Ha llamado un fantasma a la puerta y nos ha puesto de patitas en la calle! ¡Dice ser el fantasma titular de la casa! ¡Asegura haber estado de vacaciones en el… Congo! Luego, tocando el bongo, nos ha acusado de okupas y de pardillos, pues, según su versión, el casero sabía de su existencia antes de que nos mudáramos.

—No puedo creer que nadie en el pueblo les haya hablado del fantasma de cera —dijo Tristán, quien llevaba el famoso cartel de alquiler entre las manos como si fuera un cartel publicitario.

—¡Sí, con ese nombre se presentó! Al principio lo confundí con un hombre cualquiera, pero al cabo descubrí que era un muñeco de cera. Una figura imponente con una sombra aún más imponente.

—Es él, sin duda. Se trata de un viejo escultor de figuras de cera que, al morir, tomó posesión del muñeco de cera que en vida había hecho de sí mismo. Desde entonces vaga como un alma en pena por ese piso. Y siempre que llegan unos nuevos inquilinos, los ahuyenta. Dicen que es capaz de hacer volar objetos, que abre y cierra puertas y cajones sólo con su voluntad. Algunas noches las pasa llorando, y sus gemidos son más lastimeros que los aullidos de un lobo. ¡Ah, y también se oye el ruido de unas cadenas, como si las arrastrara! ¡Un ruido insoportable que dura toda la noche y que vuelve locos a los inquilinos! —expuso Tristán en un tono tan convincente que llegué a pensar que hablaba por propia experiencia.

Claro que había contado la historia a medias. Por ejemplo, no había mencionado su relación con el fantasma de cera.

—Quien miente se arrepiente, pues no hay peor simiente que la de quien miente —le dije al oído a Tristán.

—Tú también mientes, pero en este caso, si mientes como yo, de repente eres inocente —me replicó Tristán.

Aún tardaron mis padres un tiempo en reponerse del susto, y para cuando lo hicieron, estaban sentados en el salón de Villa Trieste gracias a una artimaña de Tristán. Mi madre dijo entonces:

—¿Y tus padres? Tenéis una casa preciosa.

Ya dije antes que uno sólo se fija en los carteles de alquiler cuando necesita alquilar una casa, y después de la visita del fantasma de cera, ése fue nuestro caso.

—«Se alquila esta mansión por orfandad y necesidad del dueño» —leyó mi padre en voz alta, puesto que Tristán no se había separado del cartel en ningún momento.

—¿Vives solo en esta vieja casa, muchacho? —se interesó mi madre.

Tristán asintió con su cara más triste, la misma que le había granjeado el apodo de Tristán Triste. Triste era su mirada, tristes se entornaban sus párpados, triste bostezaba y tristemente hablaba:

—Sí, vivo solo en Villa Trieste, y por eso todos me llaman Tristán Triste —respondió.

—A partir de hoy vivirás con nosotros, siempre que nos aceptes como inquilinos, claro está. Y a partir de mañana acondicionaremos la casa —propuso mi madre.

En ese momento supe que habíamos logrado nuestro objetivo, que viviríamos desde entonces y para siempre en Villa Trieste, y que Tristán Triste no volvería a estar solo. Ni siquiera hizo falta hablar del precio o de las condiciones.

—Sólo el necio confunde valor y precio —recitó mi padre—. Hasta hoy no creía en fantasmas, pero de haberme preguntado alguien dónde había más posibilidades de encontrar uno, aquí o en nuestra casa, sin dudarlo hubiera respondido: «En Villa Trieste».

12

ALICIA VISITA
SU ANTIGUA CASA

TENÍA verdaderas ganas de saber lo que había pasado en nuestra antigua casa, puesto que ni mi padre ni mi madre habían entrado en detalles, de modo que, con la excusa de ir a recoger mis cosas, aproveché para visitar al fantasma de cera.

Lo encontré sentado en el sillón donde solía sentarse mi padre.

—¿Cómo ha ido todo? —me interesé.

—A pedir de boca. Aunque he tenido que sacar a relucir todos mis poderes de fantasma. En un principio, tu padre se negaba a creerme, asegurando haber oído hablar en la radio del «timo del fantasma», de modo que no tuve más remedio que llevar a cabo una demostración fantasmagórica. Primero, levité; después, crucé la habitación de lado a lado pasando a través de su cuerpo; más tarde, le arrojé un jarrón a la cabeza, si bien lo detuve justo cuando iba a golpearle. Por último, mantuve el jarrón flotando en el aire durante unos cuantos segundos, girando como una peonza delante de sus narices, y a continuación dejé que cayera al suelo y se hiciera añicos. Entonces le dije: «¿Dónde está el timo, vecino? A este okupa le preocupa que en esta casa haya más de un okupa, pues bastante ocupa ya un okupa. Casa con más de un okupa es mala de okupar. ¡Fuera de aquí, okupantes!». Después de eso, tanto tu padre como tu madre huyeron por la ventana. Ni siquiera se atrevieron a decir: «Esta boca es mía». Hacía años que no me comportaba como un fantasma de la vieja escuela, pero ha merecido la pena. Ha sido muy divertido. ¿Y bien? ¿Cómo va la otra parte del plan? ¿Les ha gustado Villa Trieste a tus padres?

—Sí, pero más que Villa Trieste les ha entusiasmado Tristán Triste. De arreglar la casa se ocupará mi padre, que es un manitas del bricolaje y de la jardinería. De Tristán nos ocuparemos toda la familia, hasta que logre-

mos borrar para siempre el apodo de Triste. Tendrá su propio dormitorio, con todo lo que ha de tener un dormitorio, incluidos libros, y yo, la humilde Tristana, seré para él como una hermana. Tristán, por su parte, dejará de ser un tarambana y a partir de ahora afrontará la vida con ganas. Su primer gesto será estudiar un libro de texto. Y de su vocabulario desterrará la frase: «Detesto los libros de texto».

—Tristán será siempre un muchacho triste, porque la tristeza es algo que impregna y no se puede borrar así por las buenas. No existe una goma capaz de borrar la tristeza.

Semejante comentario me hizo pensar que el fantasma de cera era tan triste y pesimista como Tristán, y para cerciorarme se me ocurrió preguntarle:

—¿Qué ve usted en un donut?

—Un agujero —respondió.

Sin duda, el fantasma de cera era también el perfecto pesimista.

13

ADIÓS AL FANTASMA DE CERA

MIENTRAS duraron las obras de restauración de Villa Trieste, vimos al fantasma de cera asomado a la ventana del salón de nuestra antigua casa, vigilando todo lo que hacíamos. Incluso en algún momento creí que movía los brazos para darnos algunas instrucciones. Y cuando caía la noche, su figura seguía brillando como un trozo de luna. Otro tanto ocurría por la mañana. El fantasma de cera pasaba los días pegado al cristal de aquella ventana, con los ojos puestos en Villa Trieste.

—Allí está —decía mi padre al inicio de cada jornada.

Y luego, a media mañana, sin mirar jamás directamente a nuestra antigua casa, añadía:

—Allí sigue. Noto su mirada en mi nuca.

Como ya he dicho, este estado de cosas se prolongó mientras duraron las obras en

Villa Trieste. Lijamos y barnizamos las traviesas de madera; desbrozamos el jardín de malas hierbas; se podaron las ramas de los árboles; desapareció el polvo de los suelos, que recobraron el brillo de antaño; se multiplicó el número de bombillas; y, por fin, Tristán tuvo su cuarto. Un cuarto de verdad, idéntico al mío. Un dormitorio limpio y soleado, con una estantería llena de libros, muchos de ellos de texto. Hasta que un día no tuvimos nada que hacer. Villa Trieste estaba terminada y bastaba echar un vistazo para comprobar que parecía otra casa. No quedó ningún vestigio de su triste pasado. Incluso los párpados de Tristán comenzaron a abrirse y a cerrarse alegremente, admirados por la transformación de Villa Trieste.

—Sin fantasma respiro sin asma —dijo.

Que Tristán mencionara al fantasma de cera me hizo volver la mirada hacia la ventana desde donde solía vigilarnos. Ocurrió entonces algo verdaderamente extraño. La figura de cera había desaparecido, pero no así su sombra, la sombra del fantasma de cera parecía pegada al cristal. Pensé que quizá se tratara de un efecto óptico, pues el sol me daba en los ojos, y salí hasta la calle con el propósito de verificar lo que había visto. Pero nada más pisar la acera, resbalé y caí al suelo de bruces. Cuando quise darme cuenta, estaba sentada sobre un gigantesco charco de cera. Junto al tronco de un árbol había unas chancletas idénticas a las del fantasma de cera y unos bongos, en cuya tripa el fantasma de cera había escrito con toscos caracteres: «Alicia, por fin pudo el fantasma de cera derretirse sobre la acera. Ahora sí que voy a tomarme unas vacaciones de verdad. Muchas gracias por todo». Y también: «Querido Tristán, no seas trasto ni triste. Hijo, sé feliz en Villa Trieste».

Después de aquello, la sombra que me había parecido ver en la ventana de nuestra antigua casa desapareció para siempre.

Sin embargo, ahora que Tristán y yo hacemos todas las tardes los deberes bajo el sauce llorón, hemos notado que por encima de la sombra del árbol planea otra. Una sombra cálida, que parece respirar y escuchar todo lo que decimos, y que nos protege, pero que

nunca interviene porque Tristán, después de todo, tiene ahora con quien charlar. Entonces le digo a Tristán:

—Con ser ninguno mi ser, muchas veces en un día suelo menguar y crecer, y no me puedo mover si no tengo compañía. ¿Quién soy?

Y Tristán responde:

—La sombra.

ÍNDICE

TÍTULOS PUBLICADOS
Serie: a partir de 8 años

TÍTULOS PUBLICADOS
Serie: a partir de 10 años